圣诞礼物

The MIRACLE of CHRISTMAS

[美] 约翰·麦克阿瑟（John MacArthur） 著

王培洁 译

甘肃人民美术出版社

图书在版编目（C I P）数据

圣诞礼物／（美）麦克阿瑟著；王培洁译，—兰州：
甘肃人民美术出版社，2010.11（2012.12 重印）
　ISBN 978-7-80588-859-0

　Ⅰ．①圣…　Ⅱ．①麦…　②王…　Ⅲ．①图画故事—美
国—现代　Ⅳ．① I712.85

中国版本图书馆 CIP 数据核字（2010）第 213467 号

Adapted from text previously published in the U.S.A. under the title **"The Miracle of Christmas"**
Copyright © 1995 by John MacArthur
Published by Zondervan Publishing House
Copyright held by the author, John MacArthur

圣诞礼物

（美）麦克阿瑟　著
王培洁　译

责任编辑：马吉庆
封面设计：ZDLBOOKS

出版发行：甘肃人民美术出版社
地　　址：兰州市读者大道 568 号
邮　　编：730030
电　　话：0931-8773224（编辑部）
　　　　　0931-8773269（发行部）
E - mail：gsart@126.com
网　　址：http://www.gansuart.com

印　　刷：北京尚唐印刷包装有限公司
开　　本：787 毫米 ×1092 毫米　　　1/24
印　　张：5.75
版　　次：2010 年 12 月第 1 版
印　　次：2012 年 12 月第 4 次印刷
印　　数：40 001~ 45 000 册
书　　号：ISBN 978-7-80588-859-0
定　　价：28.00 元

送给：

亲爱的

....

....

爱你的 ....

目录

第一章
耶穌的降生

The Miracle of Christmas

The Truth of The Nativity

　　圣诞节是庆祝的节日，欢歌的节日，是充满了美好祝福和精美食物的节日，是家人和朋友喜悦团聚的节日。然而更重要的，是让我们记得圣诞节的来源：救主耶稣基督。

　　像耶稣这样完美的生命，完美的爱，是任何人都无法给予的。于是，上帝自己为我们做了预备。他将自己的儿子从永恒的天堂，派遣到这个有生有死的世界，从无限的荣耀进入有限的肉体，从美丽的宝座下降到卑微的马槽。最完美的希望竟选择了这种最谦卑的方式降生人间。

　　喔，这高深莫测的圣诞礼物——基督耶稣。上帝的独生爱子，放弃了他拥有的财富和权力而来到我们中间，彰显出上帝道成肉身的形象。他以这种方式，要把他的人民从罪中解放出来。他的贫穷使我们可以成为富足。

　　圣诞节的这件奇妙礼物，恰恰是上帝自己在马槽里降生，好让我们能在他的荣耀中得到重生。愿这本小书帮助你默想圣诞礼物的真正意义，重温圣诞节的美妙信息。

马利亚怀孕

耶稣基督降生的事记在下面：他母亲马利亚已经许配了约瑟，还没有迎娶，马利亚就从圣灵怀了孕。她丈夫约瑟是个义人，不愿意明明地羞辱她，想要暗暗地把她休了。正思念这事的时候，有主的使者向他梦中显现，说："大卫的子孙约瑟，不要怕，只管娶过你的妻子马利亚来，因她所怀的孕是从圣灵来的。她将要生一个儿子，你要给他起名叫耶稣，因他要将自己的百姓从罪恶里救出来。"这一切的事成就，是要应验主藉先知所说的话，说："必有童女怀孕生子，人要称他的名为以马内利。"（"以马内利"翻出来就是"上帝与我们同在"。）约瑟醒了，起来，就遵着主使者的吩咐，把妻子娶过来，只是没有和她同房，等她生了儿子，就给他起名叫耶稣。（《马太福音》1章18-25节）

圣诞故事就这样悄然开始了：一个从来没有亲近过男人的少女（马利亚）怀孕，生下了上帝之子。没有公开宣传和新闻炒作，但此后发生的一系列事件永远地改变了马利亚和约瑟的生命。不仅如此，耶稣也要改变整个人类历史的方向。

这婴孩是谁？

有些人说他只是个好教师，

但好教师并不宣称自己是上帝。

有些人说他只是个好榜样，

但好榜样不会混迹在妓女和罪人中。

有些人说他是个疯子，

但疯子口里说出的话和他说的不一样。

有些人说他是个宗教狂，

但宗教狂不会吸引孩子们来到自己的身边，

更不会吸引保罗和路加那样的知识分子成为跟随者。

有些人说他是个假冒为善的神棍，

但神棍不能从死里复活。

有些人说他只是个幻象，

但幻象没有被人钉在十字架上的血肉之躯。

有些人说他只是个虚构的人物，

但是人们不会以虚构的人物制定公元纪年。

　　耶稣被人称作完美的人、爱的典范、信仰的最高表率、美德的最高标准、最伟大的人以及有史以来最好的教师。所有这一切描述都捕捉到了他品格的某些要素，但是距离完全的真理又相去甚远。使徒多马在见到复活的耶稣之后，呼喊道："我的主，我的上帝！"这才是对耶稣最完美的描述。

约瑟和马利亚

历史将约瑟和马利亚浪漫化了。我们常常给予他们美好的想象。在画家们的笔下，约瑟和马利亚的脸上常常带着神秘的表情，头上画着光环。而在现实生活中，他们都很普通，约瑟是木匠，马利亚是个背景简单的女孩儿。他们都是脚踏实地的平凡人，但是他们所信仰的并不平凡。

约瑟和马利亚可能都很年轻，也许只有十几岁，因为当时女孩儿一般在十二三岁时就定下婚约。尽管马利亚的岁数可能稍大些，但估计她最多只有二十多岁，而约瑟可能比她大不了几岁。

　　从天使长加百列向马利亚显现，宣布她将怀上一个男孩儿的那一刻起，约瑟和马利亚的生活发生了翻天覆地的变化。马利亚是我们的榜样。她并没有满心愤恨，把怀孕看作是不公平和丢人羞耻的事情。她明白自己得到了上帝特别的祝福。约瑟也是我们一个难得的榜样。他发现马利亚怀孕的时候，心中的痛苦和难过是可以想象的，但是他还是接受了上帝的安排。虽然很可能受到流言蜚语的无情攻击，但约瑟和马利亚并没有动摇。他们很可能并不完全明白上帝的计划，但是他们毫不犹豫地服从了上帝的计划。他们是耶稣在这世界上最理想的父母。

马利亚

《路加福音》1章27节讲到马利亚和约瑟订了婚。犹太文化中的订婚和我们现在的订婚意义并不相同。根据希伯来语的作品，我们看到希伯来人的结婚过程分两个阶段。订过婚，男女二人就已经结成了合法的婚姻关系。如果在订婚期间，一方违背了誓言或者被查出有不贞的行为，就要正式离婚，解除婚约。也就是说，在订婚阶段，男人和女人已经成为合法夫妻，被称作丈夫和妻子，但是仍然分开居住，不发生身体上的关系。希伯来婚姻的第二个阶段就是婚礼，和我们现代人的婚礼相似，只是更加盛大一些，一般要持续七天。

马利亚还在订婚期间就怀孕了。她和约瑟订了婚约，只是还分房住着，天使长出现在马利亚面前。

……天使加百列奉上帝的差遣，往加利利的一座城去，这城名叫拿撒勒。到一个童女那里，是已经许配大卫家的一个人，名叫约瑟，童女的名字叫马利亚。天使进去，对她说："蒙大恩的女子，我问你安，主和你同在了！"马利亚因这话就很惊慌，又反复思想这样问安是什么意思。

天使对她说："马利亚，不要怕！你在上帝面前已经蒙恩了。你要怀孕生子，可以给他起名叫耶稣。他要为大，称为至高者的儿子，主上帝要把他祖大卫的位给他。他要作雅各家的王，直到永远，他的国也没有穷尽。"

马利亚对天使说："我没有出嫁，怎么有这事呢？"

天使回答说："圣灵要临到你身上，至高者的能力要荫庇你，因此所要生的圣者，必称为上帝的儿子。……"

马利亚说："我是主的使女，情愿照你的话成就在我身上。"天使就离开她去了。（《路加福音》1章26-38节）

天使在宣告：上帝要来到人世间！这并不是上帝第一次传达这样的信息。在旧约圣经中，预言和应许弥赛亚会到来的经文多达 350 处。

尽管天使向马利亚做出解释，这件事情看起来还是既神秘又离奇：上帝的儿子在马利亚的子宫中神奇受孕，那因年老失去生育能力的伊丽莎白现在也怀孕了——这一切都很有戏剧性。

根据圣经，我们能够了解马利亚的一些背景。马利亚有个姐妹名叫撒罗米，是"西庇太两个儿子的母亲"。西庇太的儿子雅各和约翰后来都成了使徒，但他们当时不过是渔夫。施洗约翰的母亲伊丽莎白是马利亚的亲戚。马利亚的父亲是希里。除此之外，我们对马利亚一无所知。她在加利利度过早期岁月，可能来自贫穷的家庭，但肯定是个努力、善良、贞节和敬虔的少女。

从圣经记载的情况，我们可以明显看出马利亚的信心有多么单纯。她给天使的回应很简单："我是主的使女，情愿照你的话成就在我身上。"这让我们能够看出她美好的品格。她把自己看作使女，安静、谦卑、顺从、一心服侍。《路加福音》2章19节，让我们进一步看到马利亚的敬虔品格，也说明了她的态度："马利亚却把这一切的事存在心里，反复思想。"

《路加福音》1章46−55节中记载了她的回答（也被称作"尊主颂"）：

马利亚说："我心尊主为大；我灵以上帝我的救主为乐。因为他顾念他使女的卑微，从今以后，万代要称我有福。那有权能的，为我成就了大事，他的名为圣。他怜悯敬畏他的人，直到世世代代。他用膀臂施展大能；那狂傲的人正心里妄想，就被他赶散了。他叫有权柄的失位，叫卑贱的升高，叫饥饿的得饱美食，叫富足的空手回去。他扶助了他的仆人以色列，为要记念亚伯拉罕和他的后裔，施怜悯直到永远，正如从前对我们列祖所说的话。"

从这些话里，我们看到的是一颗单纯相信的心。她的心中没有一丝一毫怀疑，没有质问、疑虑和恐惧，也不要求搞明白一切，而是立刻顺服，她相信这就是上帝的旨意。她用赞美表达了自己的心意。

上帝竟然选择马利亚成为耶稣的母亲，这真是令人觉得惊诧。他本可以选择王后、公主或有钱有势人家的女儿，却在一个小村庄中选择了一个毫不起眼的少女。上帝做事情的方式和我们显然不同。

尽管马利亚善良又敬虔，她却如你我一样，是个需要上帝恩典的罪人。上帝将恩典和祝福白白地赐给她。她知道自己不配这份恩典，于是赞美上帝，称呼他为"上帝我的救主"。马利亚对天使加百列说话时，可能内心中一次次问自己："为什么上帝拣选了我这样一个不配的罪人，来承受他奇异的恩典？为什么上帝挑选我来享受这份特权？”对这样的事情，她完全没有心理准备，更不用说天使突然降临时给她的惊吓。因此，天使所说的话让她安心不少：“马利亚，不要怕！你在上帝面前已经蒙恩了。”

上帝为什么选择马利亚？不是因为她完美，不在于她的价值或美德，而在于上帝的主权。

圣诞树的来历

据说圣诞树起源于古罗马的农神节时人们用绿树和蜡烛装点神庙的习俗。罗马兵丁征服英吉利群岛后，了解到那里的德鲁伊教。德鲁伊教崇拜槲寄生，撒克逊人在宗教庆典中使用冬青和常春藤作为节日的装饰。于是，这些就成为圣诞节的习俗。

然而，第一个点亮圣诞树的人很可能是改教之父马丁·路德。他不但在圣诞树上点燃蜡烛，把这个习俗引入圣诞节，还引用《以赛亚书》60章13节来证实圣诞树的圣经出处："黎巴嫩的荣耀，就是松树、杉树、黄杨树，都必一同归你，为要修饰我圣所之地，我也要使我脚踏之处得荣耀。"

约 瑟

我们对约瑟的背景也知之甚少。圣经里记载他是个"木匠"。圣经原文（希腊文）可以被翻译成"做木活的工人"或"泥瓦匠"，也很有可能他这两种活儿都干。为了谋生，他一定非常努力工作，但是很可能并不富裕。

然而，他是个敬虔的人。《马太福音》说他是个"义人"。

　　耶稣基督降生的事记在下面：他母亲马利亚已经许配了约瑟，还没有迎娶，马利亚就从圣灵怀了孕。她丈夫约瑟是个义人，不愿意明明地羞辱她，想要暗暗地把她休了。正思念这事的时候，有主的使者向他梦中显现，说："大卫的子孙约瑟，不要怕，只管娶过你的妻子马利亚来，因她所怀的孕是从圣灵来的。她将要生一个儿子，你要给他起名叫耶稣，因他要将自己的百姓从罪恶里救出来。"这一切的事成就，是要应验主藉先知所说的话，说："必有童女怀孕生子，人要称他的名为以马内利。"（"以马内利"翻出来就是"上帝与我们同在"。）约瑟醒了，起来，就遵着主使者的吩咐，把妻子娶过来，只是没有和她同房，等她生了儿子，就给他起名叫耶稣。（《马太福音》1章18-25节）

约瑟是个义人，对马利亚至真至诚。他肯定盼望着迎娶马利亚的那一天。马利亚怀孕的消息让他感到震惊。他知道马利亚品行端正，知道她敬畏上帝，但很明显，未婚先孕说明她做了不好的事情。约瑟觉得自己的世界发生了天翻地覆的变化。

马利亚怀孕的消息让约瑟遇到了两方面的问题。首先，一个有爱心和责任感的人，做事情会很正直。约瑟得知自己原来的计划（与马利亚结婚）出了问题，马利亚怀孕了，所以他不愿意再维持婚约。他知道自己并非孩子的父亲，而据他有限的理性推测，一定还有一个男人。他是一个正直的人，希望所做的事情既符合上帝的律法，又确保道德上和伦理上的公正。因此，他的处境就更艰难了。其次，由于约瑟是义人，满有爱心，因此，他虽然猜测未婚妻不贞，感到羞耻，但他更深深知道犹太的律法将如何处置不贞的妇女，他此时在意的不是自己的羞耻与尴尬，而是马利亚的处境。与其公开地羞辱马利亚，让她遭受最严厉的法律制裁，约瑟宁可考虑其它方式，稳妥地解除掉两人之间的婚约。

　　他可以悄悄地写一封离婚书，在两三个人当面见证下，结束他们之间的婚姻关系。这样，马利亚的事就不会大肆宣扬，再没别人知道这件事。她至少还可以离开本地，去别处悄悄地生下孩子，抚养他长大。

　　约瑟爱马利亚，不愿意让她受到公开羞辱，但是如果她犯了奸淫罪，他就不能娶她为妻，这是当时律法的要求。因此他决定私下处理这件事，与她离婚。约瑟肯定花了很长时间思考才做出这个决定，"正思念这事的时候"，上帝出面干涉了。约瑟反复思想自己该怎么办的时候，他睡着了，在梦中，上帝的使者向他显现。

　　在如何保护自己名誉的事情上，马利亚其实是无能为力的。她也许可以向约瑟解释说，这孩子是上帝赐下的，但是你觉得约瑟会那么容易相信这件事吗？在整个人类历史中，还从来没有出现过童贞女怀孕的事情呢！于是，上帝亲自来支持她了。上帝派天使在约瑟的梦中出现，驱散了他心中对马利亚的所有怀疑，除去她的羞辱和对她的流言蜚语。

天使对约瑟说的话，证实了"童贞女怀孕"和耶稣降生真的是超越自然规律的。他的话不仅给约瑟提供确据，也让我们知道，耶稣是约瑟的后裔，大卫的子孙。约瑟听到上帝借天使告诉他的信息，一定比得知马利亚怀孕时更惊讶，也一定大大松了一口气，并且非常感恩。他不仅可以安心地迎娶马利亚，敬重她、爱她，而且还能抚养上帝的独生子。

于是，约瑟娶马利亚为妻。他们举办了婚礼，使她免于受羞辱、名誉扫地，以及一个人抚养孩子的孤独。约瑟一定是个善良的人。上帝会把自己的独生子丢给一个不善良的人吗？

婚礼之后，虽然在外人看来他们已经是丈夫和妻子了，但约瑟一直等到马利亚生下耶稣后，才和她同房。

有人传说马利亚余生一直都保持贞洁，事实并非如此。耶稣出生后，马利亚和约瑟就像正常的夫妻一样有了身体的关系，并且至少生了 6 个孩子。圣经记载了耶稣几个弟弟的名字，其中两个弟弟还写了圣经中的两卷书信——《雅各书》和《犹大书》。

基督徒与圣诞节

新约时代的早期信徒们更加注重庆祝耶稣的复活，而非他的降生。由于圣诞节最早源自异教文化，公元 1 世纪，基督徒对于节日中的一些仪式和习俗非常抵触。直到 5 世纪中叶，教会才认可庆祝圣诞节。

早期美国的清教徒就拒绝聚集在一起庆祝圣诞节，他们故意在 12 月 25 日这一天工作。英国 1644 年通过的一项法律也反映了这一点：规定圣诞节是法定的工作日。甚至曾经一度，人们在圣诞节这天制作节日里吃的葡萄干布丁和碎肉馅饼，在英国都算违法。

今天的基督徒一般不反对庆祝圣诞节。节日本身没有不好之处，庆祝与否也不涉及对错的问题。正如保罗所说："有人看这日比那日强，有人看日日都是一样，只是各人心里要意见坚定。守日的人是为主守的；吃的人是为主吃的，因他感谢上帝；不吃的人是为主不吃的，也感谢上帝。"对于认识并热爱上帝的人来说，包括圣诞节在内的每一天都是节日。

　　如何庆祝圣诞节才是核心问题。我们有没有想过：为什么要庆祝

圣诞？应该怎样庆祝？圣诞节是一个庆贺耶稣诞生的日子，而不是为

了自己开心享乐。

马利亚与伊丽莎白

路加福音一开始就讲到两个怀孕的奇迹，这两位女性都没有怀孕生子的可能性。伊丽莎白当时已经六七十岁，不能生育了，她的丈夫撒迦利亚同样老迈，然而他们竟然生下了施洗约翰——旧约圣经中预言的那位"弥赛亚的开路先锋"。马利亚是个年轻贞洁的处女，却"因圣灵感孕"，生下了耶稣——上帝道成肉身的儿子。

虽然伊丽莎白和马利亚年龄差距很大，生活背景和环境差异也很大，但这两姐妹都被上帝使用，生下两个不同凡响并具有重大意义的孩子。这两个孩子的诞生，代表着有伟大历史意义的救赎的开始。在圣经的记载中，两人出生的经历有惊人的相似之处。

† 两处记载都以介绍孩子的父母亲或者父亲开始。

† 两处记载都具体说明了怀孕生子的障碍：伊丽莎白
不能生育又年老，马利亚还是童贞女。

† 都是天使加百列去宣告两人怀孕的消息。

† 两个女子都住在偏远的小城中。伊丽莎白和撒迦利
亚住在耶路撒冷南部的小山村，马利亚住在耶路撒
冷北边的拿撒勒小城。

† 见到天使的人一开始都对加百列的话感到惧怕，加
百列也都做了进一步说明。

† 两处记载，天使都对即将出生的孩子进行了描述。

† 两个人都没能一下子接受天使的信息，撒迦利亚表
示怀疑和不信，马利亚则提出了疑问。

† 加百列在离开之前，都保证自己所说的事情一定会
成就。

天使传达的信息使马利亚非常震撼，甚至还有些害怕。
天使知道马利亚的感受，告诉他另外一件事情：

> 况且你的亲戚伊丽莎白，在年老的时候也怀了男
> 胎，就是那素来称为不生育的，现在有孕六个月了。
> 因为出于上帝的话，没有一句不带能力的。（《路加
> 福音》1 章 36-37 节）

听到这个消息，马利亚走了十几公里来到伊丽莎白家。

虽然马利亚完全相信天使的话，但是我们也能够理解，马利亚需要确据来坚固自己的信心。毕竟，她身体里面孕育着的胎儿是从上帝而来的，而她甚至不知道具体是什么时候发生的。这种事情太奇特了，马利亚心里不可避免地会有一些疑虑，不知道自己该如何接受。怀孕之后需要一段时间才

会有身体上的变化，马利亚怎么能尽快确定天使所说的话必将实现？这些因素促使马利亚毫不迟疑地行动起来，去见伊丽莎白——当时只有她能向马利亚证实上帝施行的神迹。

这姐妹俩无疑有很多话要分享。听到伊丽莎白说她自己的确怀孕了，马利亚相信了上帝在伊丽莎白和自己身上所做的事情。伊丽莎白理解马利亚，相信马利亚身上发生的事情，因为她知道上帝在自己身上所做的事情。对于马利亚而言，伊丽莎白和她腹中的胎儿是一个多大的安慰和保证啊！

马利亚去拜访伊丽莎白的时候，还亲眼目睹了一个奇妙的现象，再次证明上帝的独生子已经在她的体内：

> 伊丽莎白一听马利亚问安，所怀的胎就在腹里跳动。（《路加福音》1章41节）

伊丽莎白体内的这一次胎动，具有特别的意义。这是施洗约翰这个伟大的先知第一次宣告救赎主的到来，同时，天使向他父亲撒加利亚所做的一部分预言也成了现实："从母腹里就被圣灵充满了"。

> 伊丽莎白且被圣灵充满，高声喊着说："你在妇女中是有福的，你所怀的胎也是有福的。我主的母到我这里来，这是从哪里得的呢？因为你问安的声音一入我耳，我腹里的胎就欢喜跳动。这相信的女子是有福的，因为主对她所说的话都要应验。"（《路加福音》1章41–45节）

伊丽莎白腹中婴儿的跳动，向我们证明天使宣告的事都是真实的。伊丽莎白知道马利亚腹中所怀的孩子就是救赎主。紧接着，伊丽莎白宣告了几个祝福：

对马利亚的祝福："你在妇女中是有福的。"这句希伯来语的祝福内容涵盖极广，意思是："你是所有妇女中最有福气的。"在犹太民族文化中，女性的地位建立在她所生孩子的地位上。伊丽莎白告诉马利亚，她是有福的，因为她要生下的是有史以来最伟大的孩子——耶稣。

对孩子的祝福："你所怀的胎也是有福的。"伊丽莎白知道，马利亚所怀的孩子会受到祝福。他圣洁、毫无瑕疵并全然无罪。他将接受上帝拥有的一切，直到永远。

对所有相信之人的祝福："这相信的女子是有福的，因为主对她所说的话都要应验。"伊丽莎白的祝福肯定是对马利亚说的，但是这里却使用了第三人称，因此这份祝福把所有相信上帝启示的人都包括在内了。

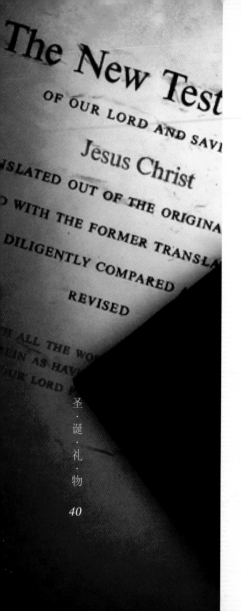

耶稣的先祖

在圣诞节时朗读圣经中记载的圣诞故事，是我们家的传统。小的时候，我们都围坐在父亲的脚旁。现在，每逢我朗读的时候，孩子们也围坐在我的脚旁。

几年前，我在研读圣经的时候不禁想到：为什么我们每次都是从《马太福音》1 章的中间开始读？《马太福音》开篇是一个详细的家谱，但是我们从来没有在圣诞节的时候朗读过这部分内容。虽然跳过家谱部分是完全可以理解的，特别当家中有小孩子时，这一长串人名会让他们感到枯燥乏味，但这段内容却激起了我的好奇心。

当我认真地研读《马太福音》1 章 1–17 节，我发现这部分内容真像一个聚宝盆。

耶稣家谱让我们清楚地看到上帝如何施恩并且保护他所挑选的家族。

这家谱还显明了上帝如何掌管人类历史，尽管有重重波折，人类的反叛和狡猾都无法拦阻上帝的计划。

圣经有两处记载了耶稣的家谱：《马太福音》1 章 1–17 节和《路加福音》3 章 23–38 节。前者记载的是约瑟的家谱，从亚伯拉罕开始，顺着血缘延续，直到大卫，再到耶稣；后者从耶稣写起，列出了马利亚的家庭，向上追溯到大卫，最后止于亚当。

马太并没有说约瑟是耶稣的父亲，而是说约瑟是"马利亚的丈夫。那称为基督的耶稣，是从马利亚生的"。这里说得很明确，约瑟并不是耶稣的父亲，上帝才是。耶稣没有肉身的父亲，如果不借着母亲，他不能被称为大卫的后裔；但是，他的统治权则是合法地来自父亲一脉。虽然约瑟不是耶稣生身的父亲，耶稣仍然是约瑟合法的长子。正因为如此，我们需要有两个家谱。路加记载的家谱证明了耶稣与马利亚的血缘关系，证明他是大卫一脉的子孙。马太记载的家谱证实耶稣与养父的关系，证明他是合法的皇室成员。无论从哪个方面来看，耶稣都有统治的权利；无论从什么角度出发，耶稣也都是天地万物的主宰。

我们如何得知，这两份家谱是正确无误的呢？

在犹太文化中，家谱是至关重要的。家谱能够决定一个人可以拥有多少土地、有没有继承家产的权利、要交多少税，以及能否当祭司。在以色列的神权国度中，人们通过圣经中记载的祖先的权利，能够获得合法的社会地位，因此每一代以色列人都非常仔细地记录并维护家谱的正确性。对于宣称自己是弥赛亚的耶稣，倘若当时的宗教领袖想要打击他，只需检查一下他的家谱，了解一下他的交税记录就行了，因为弥赛亚肯定是大卫的子孙。然而，他们一直在这个问题上保持沉默。耶稣的家谱一定是正确无误的。耶稣的合法权利和尊荣地位，是人们无法否认的。

独一无二的童贞女怀孕

1978 年 7 月，一个名叫路易斯·布朗（Louise Brown）的小女孩儿出生在英国。路易斯幼小娇嫩，出生体重只有 2.6 公斤，但是她的出生意义重大，因为她是第一个在体外受精的试管婴儿。

从那以后，越来越多的试管婴儿诞生。这一重大科技突破虽然奇妙非凡，却并非神迹。试管婴儿仍然是男性精子和女性卵子结合形成，然后按照正常的方式在女人子宫中长大并分娩出生。唯一的差别只是受孕的地方。科学家们继续实验，想要以其他与自然相违的方法实现受孕和培育胚胎。譬如说，现在可以把精子和卵子先行冷冻，即使时经数年，解冻后仍然可以体外受精，形成胚胎。

多年来，科学家们也一直在尝试，想要实现单性生殖（parthenogenesis）。这个英文单词从字面意思来看，就是指处

女生殖。实验观察发现，某些生物有单性生殖的现象，例如没有受精的蜜蜂卵会自然地长成雄蜂。1888年以来，人们普遍使用人工单性生殖方式来养殖蚕。还有许多无脊椎动物和植物都可以通过单性生殖的方法来繁殖后代。近些年来，人们已经在实验室实现了青蛙和兔子的单性生殖。

但是，单性生殖只能复制在基因上完全相同的物种。譬如说，可以通过单性生殖的方法使青蛙卵繁殖成活生生的青蛙，但是所有的青蛙都在基因上与产卵的青蛙完全一样。科学无法解释一个从未和男人发生过性关系的女人，为什么能够生下一个男婴。这是上帝所行的神迹，是人们在生殖方面能看到的最大的神迹。

The Miracle of Christmas

第二章
耶稣降生时

When a Child Was Born

　　第一个圣诞夜的故事一直深受人们喜爱。十几个世纪以来，人们庆祝圣诞节的同时，歌手和作家们争相对这个故事加以修饰、夸大和神秘化。然而现在，大部分的人已经不清楚这故事中哪些细节是符合圣经记载的，哪些是虚构的。人们想象小小的婴儿耶稣睡在马槽中，天上雪花纷飞，天使歌唱颂赞，许多人赶来朝拜，其中还有一个打鼓的男孩儿。

　　现在的圣诞节故事已经成了异教文化、迷信、传说和无知的混合物。但是，在圣经中，你能够看到圣诞故事的原始记录。

　　耶稣是真实存在的人，我们如果不明白这一点就不能真正认识他。他降生的故事并非捕风捉影或无稽之谈。我们不敢冒着失去真实的风险，把他降生的那个夜晚描画成浪漫或动听的传奇故事。马利亚和约瑟是真实存在的人。他们和你我一样，会因为没有可以落脚的客栈而惊慌。客栈的马槽一定散发着臭烘烘的动物味道，牧羊人的身上很可能也是如此。第一个圣诞夜的场景并非那么如歌如画。

但正是因为如此，这一切就更加令人赞叹了——躺在臭烘烘的马槽中的婴儿就是上帝！这才是圣诞故事的核心信息。

当时环绕在马槽边的，没有大群的朝圣者，只是屈指可数的几个牧羊人，但是圣经记载说，在末日审判的那一天，所有的人都要面对他。

马槽中的婴儿

《路加福音》2 章 7 节告诉我们当时的背景：

> （马利亚）就生了头胎的儿子，用布包起来，放在马槽里，因为客店里没有地方。

这段话明确说明，那是一次无人陪伴的孤单的降生。没有接生婆，没人帮助马利亚分娩。圣经甚至没有提到约瑟在场。但是，就算当时他在场，他和所有第一次当爸爸的男人一样，很可能根本帮不上什么忙。

这并不是第一世纪犹太文化中常见的生产方式。犹太人并非野蛮人，也非原始部落的人，把孕妇送进丛林，任由她们独自把孩子生在香蕉叶上。他们是文明人，高智商，受过很好的教育，热情好客，而且深切关心人类的生命。一个即将分娩的年轻孕妇前来旅店住宿，却不得不去住马厩，几乎是不可能发生的事情。

然而，这一切就这样发生了。

一般情况下，都是由接生婆将孩子清洗干净，用布包起来。但是，此时没人帮忙，马利亚生下了孩子，亲手把他包在褓襁中。人们通常会把新生儿放在摇篮或婴儿篮里，但是，马利亚不得不把他放在给牲口喂食的马槽中。

耶稣降生到世界上，却进入了一个很臭、很肮脏、最不舒服的环境里。然而，这就是上帝恩典成就的奇迹。上帝的儿子降生，暂时放下自己的荣耀，完全谦卑自己。

牧羊人

　　在伯利恒之野地里有牧羊的人，夜间按着更次看守羊群。有主的使者站在他们旁边，主的荣光四面照着他们，牧羊的人就甚惧怕。那天使对他们说："不要惧怕，我报给你们大喜的信息，是关乎万民的。因今天在大卫的城里，为你们生了救主，就是主基督。你们要看见一个婴孩，包着布，卧在马槽里，那就是记号了。"……他们急忙去了，就寻见马利亚和约瑟，又有那婴孩卧在马槽里。既然看见，就把天使论这孩子的话传开了。……牧羊的人回去了，因所听见、所看见的一切事，正如天使向他们所说的，就归荣耀与上帝，赞美他。（《路加福音》2章8–20节）

　　上帝在耶路撒冷城中，让一群牧羊人得知耶稣降生的消息，这一点发人深省。牧羊人当时处在社会最底层，最受人鄙视。由于要在旷野放羊，他们不能确保遵行所有的洁净仪式，有很多宗教节日和庆典也无法参加，这使他们无法进入以色列的主流社会。然而，这些牧羊人在距离耶路撒冷几公里的地方牧羊，他们看守的羊群很可能会被用在圣殿的祭祀仪式中。他们成为第一批认识耶稣这位"上帝的羔羊"的人，岂不合适？

更有意义的是，他们在耶稣降生的那一夜看见他。除了他们，没有其他的人在那一夜看见过耶稣。

圣经详述牧羊人找寻耶稣的过程，但我们可以想象得出，他们进了伯利恒这个小城后，就四处询问："有人知道今晚谁家生下一个婴儿吗？"他们可能敲了好多门，看了很多初生的婴儿，最后才找到躺在马槽中的那一个。那一刻，他们一定深深相信天使宣告的是来自于上帝的信息。他们见到约瑟、马利亚和耶稣，一定忍不住把天使所说的话讲述了一遍。

此时，这些牧羊人其实就是新约圣经记载的第一批基督徒；他们听到了上帝的好消息并相信了；然后，他们去寻找耶稣，并且见到了他；接着，他们把自己的所见所闻讲述给其他没有听过这个好消息的人。

东方博士

《马太福音》还记录了一群旅行者：

当希律王的时候，耶稣生在犹太的伯利恒。有几个博
士从东方来到耶路撒冷，说："那生下来作犹太人之王的
在哪里？我们在东方看见他的星，特来拜他。"希律王听

见了，就心里不安；耶路撒冷合城的人也都不安。他就召
齐了祭司长和民间的文士，问他们说："基督当生在何处？"
他们回答说："在犹太的伯利恒。因为有先知记着，说：

'犹大地的伯利恒啊，

你在犹大诸城中并不是最小的，

因为将来有一位君王要从你那里出来，

牧养我以色列民。'"

当下希律暗暗地召了博士来，细问那星是什么时候出
现的，就差他们往伯利恒去，说："你们去仔细寻访那小孩子，
寻到了，就来报信，我也好去拜他。"他们听见王的话就去了。
在东方所看见的那星，忽然在他们前头行，直行到小孩子
的地方，就在上头停住了。他们看见那星，就大大地欢喜，
进了房子，看见小孩子和他母亲马利亚，就俯伏拜那小孩子，
揭开宝盒，拿黄金、乳香、没药为礼物献给他。博士因为
在梦中被主指示不要回去见希律，就从别的路回本地去了。

（《马太福音》2 章 1-12 节）

这些博士（magi，也译为"星象家"）不知是从哪里来的。他们突然出现，送完礼物后就消失了。他们的出现引起人们的好奇、猜测：有人说他们的名字是卡斯帕（Caspar）、白扎沙（Balthasar）和麦乔亚（Melchior）；有人说其中一个博士是埃塞俄比亚人；甚至有人说："在耶稣降生的当晚，有三个国王来马厩朝见他。"

而实际上：

† 我们不知道一共有几位博士去朝见耶稣，只知道他们带了3样礼物。

† 这些博士或星象家并非国王。

† 博士们是在一间房子里见到耶稣的。

† 他们可能是在耶稣降生几周甚至几月后才见到他。

古希腊史学家希罗多德（Herodotus）记载说，这些博士是米提亚人的祭司，他们所在的地方正是今天的伊朗，而这些博士们很可能信拜火教。

在古代，迷信和科学几乎没有差别，天文学也难免会和迷信的占星术混为一谈。这些博士们是这方面的专家。他们从事的职业涉及玄妙和奥秘的事情。

旧约中也提到过博士。被俘虏的希伯来人但以理，因为做了博士们最擅长的事情（解梦），给巴比伦王尼布甲尼撒留下了深刻印象，于是国王任命他为总理，掌管巴比伦的一切哲士。但以理在这些哲士中间一定很有影响力，由于他的人品以及对上帝的热心，他也一定曾经把犹太经文（包括有关弥赛亚的一切预言）告诉他们。

没有人知道这些博士们懂得多少旧约上所说的事情。但是，有一些来自希伯来文化的真理渗透到他们的教育体系中，而且大部分一直存留到了耶稣的时代。所以，这些熟知弥赛亚预言的博士们才会来寻找那"生下来作犹太人之王的"。

东方博士们到达耶路撒冷的时候，我们能够想象到当时的希律王心里有多么不安。这些有影响力的人正在满城寻找那生来作王的人！想象一下这些人抵达耶稣撒冷时的场景吧：他们穿着异族的传统服装，戴着高高的圆锥形帽子，他们骑乘的很可能是波斯或者阿拉伯的高头大马。他们甚至可能有一小支军队，因为他们需要跨越边境，进入其他国家的领土。

他们一定认为每个以色列人都知道新生王的降生。他们询问耶路撒冷的人们："那生下来作犹太人之王的在哪里？"然而，竟然没有人知道博士们在说什么，这一定让他们感到非常惊诧。

第一个圣诞节

耶稣降生的确切日期没有人知道，很可能不是 12 月 25 日。圣经说，那时有牧羊人在野外看守羊群，因此耶

稣很可能不是在冬季降生的。

我们现在在 12 月 25 日庆祝圣诞，这是源自一个异教的节日——罗马纪念太阳神诞生的农神节。农神节的庆祝于每年 12 月 19 日开始，这时在北半球正是白天逐渐变长的时候，从这一天起一共有七天的狂欢。今天圣诞节的许多习俗都来自农神节，如盛筵、游行队伍、特别

的音乐、送礼物、点燃蜡烛和常青树。随着基督教
在罗马帝国的兴盛，这个异教的节日被赋予基督教
的含义。公元 336 年，君士坦丁大帝将纪念耶稣降
生的日子定为罗马的法定节日。有些教会领袖（如
屈梭多模）对沿袭异教节日的基督徒们表示严厉谴
责。但是，12 月 25 日还是成为我们庆祝耶稣降生
的日子。

圣诞星

我们无法知道，这些博士们如何得知弥赛亚的预言已经成就了，但很显然，是上帝以某种方式向他们显明的。他用了一颗星作为弥赛亚诞生的标志。或许，博士们把那颗星和《民数记》24章17节联系了起来：

> 我看他却不在现时，我望他却不在近日。有星要出于雅各，有杖要兴于以色列，必打破摩押的四角，毁坏扰乱之子。

作为星象家，博士们一定对这节经文非常感兴趣。这是旧约中唯一讲到星星标志的一处，"有杖要兴于以色列"似乎暗指犹太的王。也许，他们看懂了这节经文的真正含义。

每年圣诞节的时候，天文馆的解说员和天文学家们都会对圣诞星给出各样的解释。人们说它可能是木星或彗星，可能是两颗行星的会合，或者其他自然现象。这些说法都不能令人信服，因为那颗星带领博士们找到了耶稣所在的房子。任何自然现象都无法做到这一点。

那么，这颗星到底是什么？没有人知道，圣经也没有说明，但是对圣经记录的这个现象，最合理的解释就是：它是人可以看见的上帝的光辉。摩西带领以色列人离开埃及，前往上帝赐给他们的迦南的时候，他们在白天看到的云柱，在夜间看到的火柱，正是上帝的荣耀之光。牧羊人听见救赎主诞生的消息，也是这相同的荣耀之光照在他们身上。也许博士们看到的，也是相同的荣耀之光，就如星星的样子。

无论这星星是什么，它都告诉博士们：耶稣已经降生了。博士们见过希律王之后，星星"忽然在他们前头行，直行到小孩子的地方，就在上头停住了"。

博士们找到耶稣的时候，他已经不再是躺在马槽中，而是在一座房子里了。很可能这时距离基督降生已经有几个月了，甚至可能近两年了。据《马太福音》记载，希律从博士们那里问出了那颗星出现的时间。后来，他发现博士们并不打算把耶稣在哪里告诉他，希律"就大大发怒，差人将伯利恒城里并四境所有的男孩，照着他向博士仔细查问的时候，凡两岁以里的，都杀尽了"。希律这样做，很有可能是为了剪除新生的王。

第一张圣诞卡

据说，世界上第一张圣诞卡由一位名叫杜布森的英国军官于 1844 年寄出。

第一批商业性质的圣诞卡是亨利·高乐爵士提议、由霍斯利设计的，于 1846 年在英国生产销售。第一批圣诞卡激怒了基督徒，因为上面画着的是一群人喝酒宴乐的景象。之后至少过了 25 年，圣诞卡才被人们广泛接受和使用。

从那以后，圣诞卡的制作和销售成为一个具有很高利润的行业。仅仅 1995 年，美国人就在圣诞卡上花掉近 10 亿美元，还不包括邮资。

博士们的礼物

博士们找到耶稣之后就敬拜他，这一点意义重大。

不论他们在向耶路撒冷出发时的动机如何，见到了耶稣，他们"就俯伏拜那小孩子"。从博士们的反应来看，他们很可能已经相信耶稣就是弥赛亚，所以他们成为耶稣最早的一批外邦信徒。

博士们送上的礼物有着特殊的意义。

黄金和乳香是典型的送给国王的礼物。黄金是人所周知的最贵重的金属，不仅在古代，就算是在今天也是富贵的象征。乳香是一种昂贵的香料，在旧约的敬拜中具有特殊的重要意义。乳香也常用来放在圣殿的祭物上，因此博士送上乳香可能还有另外一层含义，就是表示对耶稣的尊崇。

没药对于耶稣来讲是个很不寻常的礼物。没药是人死后下葬时用的一种香料。用酒调和的没药有麻醉的功效。耶稣被钉十字架的时候，有人把加了没药的酒给他喝，但是耶稣拒绝了。因此，没药这份礼物似乎是在预言耶稣的受难和受死。圣经中没有任何迹象表明博士们预先知道耶稣的受难和受死。但是很有可能，正如上帝引导博士们来见初生的耶稣，上帝也在选择礼物方面引导他们，让他们的礼物见证这位新生王的皇族血统、神圣地位和他的死亡。

全世界只有两种人：聪明人和糊涂人。希律代表一种糊涂人，他们公开拒绝救主。给希律提建议的犹太宗教领袖代表另外一种糊涂人，他们并不仇恨耶稣，只是觉得他不重要而漠视他。这些人太忙碌了，太专注自己的事情，没空去理会耶稣——就如我们今天大部分人一般。

然而，这些博士是聪明的人。虽然旅程漫长又艰难，但是他们还是踏上了寻找之旅。他们牺牲了方便舒适的生活享受，顽强地向前走，终于找到了耶稣。他们代表这世界上真正聪明的人们。

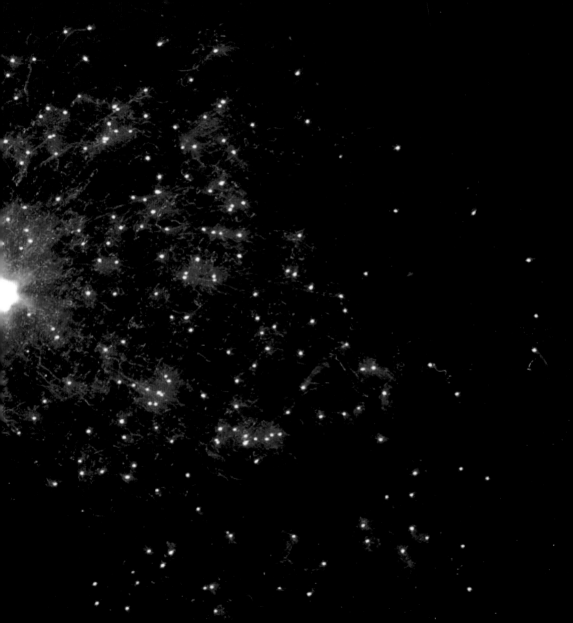

第三章

耶稣的名字

He Shall Be Called...

她将要生一个儿子，你要给他起名叫耶稣，因他要将自己的百姓从罪恶里救出来。（《马太福音》1 章 21 节）

"耶稣"这个名字说明了他降生到这个世界的目的。希伯来文"耶稣"意思是"耶和华拯救"。

以马内利

"必有童女怀孕生子，人要称他的名为以马内利。"（《马太福音》1 章 23 节）

"以马内利"这个希伯来名字的意思是"上帝与我们同在"。我们常常把圣诞的焦点放在婴孩耶稣身上，但这个马槽中的婴孩，早被预言过的婴孩，竟然是无所不知的天地的创造主。

以马内利。一切都是从他而来的，他竟然让自己成为一无所有的。他进入我们这个罪恶的世界，担当了我们的罪、我们的哀伤和我们的难过，为我们的过犯受害，为我们的罪孽压伤。所有这一切全部包括在"上帝与我们同在"中。

使徒保罗在《哥林多后书》8章9节说："你们知道我们主耶稣基督的恩典；他本来富足，却为你们成了贫穷，叫你们因他的贫穷，可以成为富足。"

天下人间没有赐下别的名

天使向约瑟显现的时候，强调了耶稣名字的意思："她将要生一个儿子，你要给他起名叫耶稣，因他要将自己的百姓从罪恶里救出来。""耶稣"这个字源自希伯来文的"约书亚"（Joshua 或 Jehoshua），意思是"耶和华拯救"。这个名字本身就是上帝救恩的见证。他要亲自把他的百姓从罪中拯救出来。

耶稣复活后，彼得在公会讲道时，也强调了耶稣名字的重要性："除他以外，别无拯救。因为在天下人间，没有赐下别的名，我们可以靠着得救。"

基　督

> 因今天在大卫的城里，为你们生了救主，就是主
> 基督。（《路加福音》2章11节）

"基督"是对马槽中婴孩的尊称。耶稣头上并没有冠冕，也没有光环，来见证他与其他人的不同。虽然没有外在的标志证实他的权利和身份，但是天使向牧羊人宣告耶稣降生的时候，他证实那晚生下的婴孩身兼两个属天的头衔：创造天地的"主"和"基督"。

在希腊文和希伯来文中，"基督"的意思是"受膏者"。这个词最早出现在《但以理书》9章25−26节。圣经中每次使用这个词，都代表着有一个至高的权柄膏抹某人，把他放

在高位上。耶稣将要被钉十字架时，在本丢彼拉多面前确认了自己做王的事实：

> 彼拉多就对他说："这样，你是王吗？"耶稣回答说："你说我是王，我为此而生，也为此来到世间，特为给真理作见证；凡属真理的人就听我的话。"（《约翰福音》18章37节）

预言中的婴孩

圣经中的圣诞故事，在伯利恒那个夜晚之前几百年就开始了。一个又一个旧约先知预言过，将有一位弥赛亚来救赎上帝的百姓。《以赛亚书》9 章 6 节是最明显的圣诞预言，写于耶稣降生前 600 年：

> 因有一婴孩为我们而生，有一子赐给我们。政权必担在他的肩头上。他名称为奇妙、策士、全能的上帝、永在的父、和平的君。

以赛亚预言，这个神迹将和从前人们看到过的完全不同，耶稣将完全实现预言中所有的细节。

人 子

"有一婴孩为我们而生"说明了耶稣的人性。他和任何人一样,从婴孩渐渐长大。我们从新约圣经中可以知道,耶稣面对过人们所经历的每一个试探,只是没有犯罪。他经历过我们感受到的一切,像我们一样受过伤,像我们一样哭泣,在死亡的时候,他也感受到他所担当的罪的重压。

神子

　　"有一子赐给我们"讲到了耶稣的神性。这里用的词是
"赐",而不是"生下",表明耶稣在出生之前就已经存在了。
在他被赐下成为我们的救主之前,他就是上帝,三位一体上
帝的第二个位格。他是上帝的儿子,也就是道成肉身的上帝,
要永远战胜罪和死亡。

万王之王

"政权必担在他的肩头上"。这句话使人们的目光超越圣诞，看向预言中的未来，那时耶稣必将统管全地。他会以公义和和平统治全世界。

奇妙策士

上帝在世上彰显了他奇妙的智慧。人们来到耶稣面前的时候，他总是知道该怎么说话，什么时候伸手去援助一颗寻求的心灵，什么时候谴责冲动鲁莽的行为。那些听过他说话的人都见证说："从来没有像他这样说话的"。人们到他的面前，才能明白人生一切的迷惑。耶稣是无所不知的策士，他知道你一切事情，知道你心中的需要以及如何回应这些需要。对愿意听他讲话和顺服他的人，他总是给予智慧的建议。

全能的上帝

　　他不仅是奇妙的策士，告诉信他的人该怎么做，还赐给他们行动的力量，因为他是全能的上帝。他不但有能力，而且有权柄：饶恕人们的罪恶和过犯，使人们胜过撒旦，释放人们脱离罪的束缚，救赎人们，回应人们的祷告，重建破碎的心灵，管理重建后的生命。

永在的父

耶稣是创造天地的主。根据圣经的记载，耶稣从永恒中创造时间，从虚空混沌中创造宇宙。他创造并维系宇宙万物，没有什么事是他做不到的；他是"阿拉法和俄梅戛、起初的和末后的"，永恒和世界万物的繁复并非难事，因为"他从起初指明末后的事，从古时言明未成的事"。他完全掌管一切，他知道万事的结局，他保证万事互相效力，让所有属他的人得益处。

和平的君

耶稣把上帝的平安赐给一切接受他恩典的人，他使那些跟从他的人与上帝和好，他把上帝的平安带给所有信靠他的人。耶稣在世上的生活，是随着天使和平的宣告而开始的："在至高之处荣耀归与上帝，在地上平安归与他所喜悦的人。"天使宣告的和平，是指上帝的平安将在人身上体现。认识和平之君的人，会得到上帝所赐出人意外的平安。

《以赛亚书》9章7节详细描述了这种平安：

他的政权与平安必加增无穷。他必在大卫的宝座
上治理他的国，以公平公义使国坚定稳固，从今直到
永远。万军之耶和华的热心必成就这事。

圣诞预言是上帝给我们的最好消息，新生婴孩是赐给我
们的礼物。耶稣既是纯真的婴孩，又是奇妙策士和万王之王。
他是与我们同在的上帝。

圣诞礼物

　　圣诞节是亲友馈赠礼物的好时机。人们通过在这一天互赠礼物，庆祝上帝赐下的最大的礼物——他的儿子。《约翰福音》3章16节说："上帝爱世人，甚至将他的独生子赐给他们，叫一切信他的，不至灭亡，反得永生。"

　　上帝赐下的是一份爱的礼物。因为他爱我们，他赐下礼物给我们。而我们的奉献正是对他的这份爱的回应。

　　圣诞节的庆祝活动已经变得非常商业化，精心设计的商品和赤裸裸的物质享乐主义让人无所适从，很难从中明白圣诞礼物的真正含义。每年圣诞节的时候，购物狂潮都有愈演愈烈之势。不知你有没有注意到，市场上销售的很多圣诞礼物都不是人们真正需要的。它们没有任何实际用途。

　　人们把大量金钱挥霍在这类圣诞垃圾上，把他们当作礼物互相赠送。可是，这么做又有什么意义呢？

上帝把最好的礼物赐给我们，因为他爱我们。

问一下自己，你今年的圣诞礼物是否会表达圣诞的真正含义？

The Miracle of Christmas

第四章

与圣诞
失之交臂的人

*People Who
Missed Christmas*

　　大部分人每年都与圣诞失之交臂。这话听起来不可思议，是吗？每逢圣诞，铺天盖地的广告几乎将我们淹没。

　　没错，大部分人错过了圣诞。他们庆贺这个节日仅仅是出于传统习惯，却忘记了庆贺的真正原因。围绕这个节日有许多神话和错误的观点，使人们对基督降生的意义视而不见，使正常的节日变成了伤感或自我放纵。记者在大街上随机采访，请人们讲述圣诞节的意义。人们的观点各不相同：有些人比较多愁善感，讲到圣诞节是家人团聚的时光，也是孩子们的时光，等等；有些人从人道主义的角度出发，把圣诞节看作是表现奉献精神和庆祝爱的时机；有些人是纯粹的享乐主义者，认为圣诞节是举行盛大欢乐聚会的好理由。这些人没有一个提到圣诞节是为了庆祝耶稣的降生。

　　人们在圣诞节纵情狂欢，却与圣诞节的真正意义失之交臂。

当马利亚和约瑟寻找住宿的地方时，伯利恒的客栈老板告诉他们没有地方了。这样冷冰冰的回答不仅他说过，今天世界上的每一个人也都说过。很多繁忙的圣诞庆贺活动跟耶稣没有关系，这真是可悲。人们忙碌着，却不知自己正与圣诞擦肩而过。和今天的人们一样，耶稣降生那晚，伯利恒城附近大部分人都忙碌着各样重要或不重要的事情，几乎每个人都错过了耶稣。

客栈老板

圣经中并没有具体描述这个人，但是那天晚上在伯利恒，客栈老板见到一个男子和他怀孕的妻子，就把他们拒之门外，说没有房间可以给他们。他不但赶走了马利亚和约瑟，而且没有找人来帮助一个临产的母亲。就这样，他错过了圣诞。

坎培·摩根（G. Campbell Morgan）写道：

> 想想文字中蕴含的伤感吧："马利亚的产期到了，就生了头胎的儿子，用布包起来。"这段文字非常优美，又何等凄凉、可悲和孤单；在女人一生中，那一刻本应该被细心照顾和呵护，但马利亚身旁空无一人。作者写得很明确：她亲手把孩子包裹在襁褓中，把他放在马槽里。没有人替她完成这件事情。马利亚的心中多么凄凉呀，然而又多么荣耀呀！

圣经也没有清楚说明伯利恒的客栈是什么样子。希腊原文 kataluma 也可以认为是"客房"、"旅馆"或"栖身所"。不管怎样，约瑟和马利亚并没有在这里得到热情接待，他们被赶出去了。

客栈老板可能拥有一片土地，于是加盖了一些不太正规的房子作客栈。上帝的儿子本来可以降生在他的房子中。他错过圣诞，是因为他埋头于自己的事情。这时伯利恒正在"报名上册"，也就是在登记户口。伯利恒是"大卫的城"，大卫的后裔都要来到这里，凡是老家在伯利恒的人们也要回到这里。城里人满为患。客栈老板忙碌不停，他的房子都住得满满的。没有迹象表明，他对约瑟和马利亚态度不好或者缺少同情心。他只是非常忙碌而已。

现今世上的人们也跟这个客栈老板一样，他们的心被各样事情占据着。圣诞节期间，人们尤其忙碌，购物、盛筵、聚会、音乐会、学校的活动和其他许多事情，都争相抢夺人们的注意力。在忙乱纷杂的活动中，很多人错过了圣诞节的意义。

希 律

我们再来看另外一个错过圣诞的人：希律。
与客栈老板不同，他是完全知道事情始末的：

> 当希律王的时候，耶稣生在犹太的伯
> 利恒。有几个博士从东方来到耶路撒冷……
> 希律暗暗地召了博士来，细问那星是什么
> 时候出现的，就差他们往伯利恒去，说："你
> 们去仔细寻访那小孩子，寻到了，就来报信，
> 我也好去拜他。"（《马太福音》2章1-8节）

希律假装要去敬拜耶稣，但是他害怕这位被
称作"犹太之王"的人。他不希望有人来争夺自
己的王位。他"心里不安"，这说明他心里是非

常慌乱的。

倘若客栈老板错过耶稣是因为过于忙碌，那么希律就是因为心里恐惧。希律并不是犹太人，他是以东人。他的父亲安提帕特为罗马做过一些事情，作为回报，希律的家族便获得了官位，统治当时在罗马管辖下的犹太地区。希律是个很有手腕的政治家，尽一切可能向罗马献媚。罗马参议院送给他一支军队作为报答。希律把自己的领土从犹太地扩张到约旦河，再到叙利亚、黎巴嫩，他甚至称自己为"犹太之王"。

难怪他听到有人被称作"那生下来做犹太人之王的"，会感到惊慌失措。他马上感到自己地位受到威胁，手中的权力摇摇欲失，尽管当时耶稣还只是一个婴儿。

希律是个残暴的人，又以偏执和妄想闻名。罗马最满意他的地方，就在于他在收税上毫不留情，效率很高。哈斯芒有人反抗希律统治，为了保证他们不会再次反叛，他就把所有的哈斯芒人都杀了。希律有十个妻子和十二个孩子。有一个妻子的兄弟是大祭司，希律害怕他，就谋杀了他，然后又杀死自己那个妻子。他害怕最大的两个儿子中会有一个夺取他的王位，就把两个儿子都杀了。

他的一生都在搞阴谋和杀戮。他邪恶人生的最后一幕就是诱骗并拘禁全国的犹太人领袖和名士，命令手下在自己死亡的那一刻把这些人全部杀死。他说："我将死。我知死后必有许多人欢乐舞蹈，却无人痛哭捶胸，所以我要求你们，等我一断气，便将牢内拘禁的犹太人全部杀掉，这样全以色列便充满号啕大哭之声，为我举哀！"

这个残忍和毫无怜悯之心的希律，当他听到有一个孩子生来就是要做犹太王的，而且根据预言，这个孩子才是真正的犹太王的时候，不难想象他会怎样报复，以发泄心中的愤恨。

他发现博士们并没有回来向他报告，就大发雷霆，疯了似的要除掉这个孩子。而约瑟和马利亚提前得到上帝的警告，带着耶稣去了埃及避难，于是，希律下令杀死了众多无辜的伯利恒男孩儿。希律的如意算盘打错了。他不仅与圣诞失之交臂，还造成巨大的悲剧。这一切都是出于他的嫉妒和恐惧。

今天也有希律这种类型的人。他们像希律一样，担心别人会夺取他的主权。他们不允许任何事妨碍自己的职业、地位、权力、野心、规划或生活模式。他们不允许别人成为自己生命的主宰。他们把耶稣看作是巨大的威胁，更不肯从工作中抽出时间来纪念耶稣的降生。在遇到困难时，他们暂且相信耶稣，也愿意接受他的恩惠，甚至愿意称自己是基督徒，但这一切的前提是，耶稣不能做他们的王，因为这会威胁到他们的生活模式、职业或任何他们不愿意放弃的东西。他们就像害怕失去王位的希律一样，心中被嫉妒撕扯着，惧怕丢掉自己做决定的权力。他们会不惜任何代价保护自己的生活优先次序、价值观和道德观。如果耶稣要束缚或改变他们的生活，他们就不会来到他的面前。他们不愿意接受耶稣的主权。他们想要自己掌握一切。

世界充满这样的人，他们呼喊着："我们不愿意这个人作我们的王。"人们想要自己做决定，自己掌握和规划自己的命运，不愿意交给耶稣掌管。他们和希律一样，错失了真正的圣诞祝福。

历史的转折点

耶稣降生是人类历史上最重大的事件，是历史的转折点。公历纪年按照基督降生的那一年而定。公元前（BC）意思是"基督降生之前"（Before Christ），公元后（AD）的意思是"在我们主的岁月中"（Anno Domini）。

耶稣给世界带来的冲击是史无前例的，无人能够与他媲美。在人类历史的长河中，没有一个人能够像他。他从来没写过一本书，他从来没获得过政治上的权力，他的一生并不富有，也没得到过很大的权势，然而，他彻底改变了世界。

宗教领袖

他就召齐了祭司长和民间的文士，问他们说："基督当生在何处？"他们回答说："在犹太的伯利恒。因为有先知记着，说：'犹大地的伯利恒啊，你在犹大诸城中并不是最小的，因为将来有一位君王要从你那里出来，牧养我以色列民。'"（《马太福音》2章4-6节）

大祭司和文士们非常清楚基督会在哪里降生。他们是以色列的神学家、智囊团、上流阶层和宗教精英。他们对圣经非常熟悉，能够援引预言弥赛亚降生之地的《弥迦书》5章2节。然而，他们仍然错失了圣诞的祝福。

自从摩西首次预言伟大的先知即将到来，犹太人就一直在等候和寻找弥赛亚。百姓们迫切等待救赎主的到来，特别

是在罗马人的统治、压迫之下，整个民族都在期盼他的降临。以色列的命运和弥赛亚的到来紧密相连。他是他们的救赎主、基督和受膏者。他们渴慕弥赛亚的程度可以从他们对施洗约翰的态度上窥见一斑：人们涌向旷野，聆听那位被差遣、预备弥赛亚道路的人讲解道理。

然而，这些神学专家和圣经的捍卫者，却不愿意往南走上几公里，亲自去伯利恒看看弥赛亚是否真正降生了。

为什么宗教领袖会错失圣诞祝福呢？因为他们漠不关心。希律惧怕耶稣的权柄，客栈老板无知，宗教领袖们却知道所有事实，但是，他们觉得耶稣不关自己的事。弥赛亚对他们来说并不真正重要。

他们认为自己是义人，既遵守律法，又得上帝的喜悦——骄傲得令人作呕。

漠不关心的根源在于骄傲。这些宗教领袖自私地只看到自己，根本无心关注耶稣。他们沉浸在自己的骄傲、自义和自足中，在舒适的小圈子中操练宗教仪式或争辩神学问题。他们没有时间留给上帝的儿子。甚至，当耶稣开始公开传道的时候，这些人成为他主要的敌人。这些宗教领袖仇恨、鄙视耶稣，最后密谋害死了耶稣。他们不要他，他们不认为自己需要他。

我想起《耶利米哀歌》1章12节中发出的悲哀呼喊："你们一切过路的人哪，这事你们不介意吗？"耶利米要说的是：

"你们怎么可以如此漠不关心？"

漠不关心是抵挡耶稣的大罪。可悲的是，这是人们对耶稣最常见的反应。有人认为自己并不需要救主，认为自己现在已经好得不能再好了。这样的态度非常危险。

耶稣降生在我们中间。他来这里的任务是拯救那些生命中存在问题、也知道自己存在问题的人。他说："我来本不是召义人，乃是召罪人。"（《马太福音》9章13节）换句话说，那些无动于衷，不认为自己有罪的人，是无法响应耶稣呼召的。在美国，对耶稣置之不理的人比公开拒绝耶稣的人要多得多。你到处走走看，都会发现这样冷若冰霜的人。他们不需要救赎主，因为他们不知道自己需要救恩。他们并不公开反对耶稣，他们只是忽视他的拯救。他们之所以不看重挽救生命的良药，是因为他们不相信自己有病。这样的人错过了圣诞节的祝福。

耶路撒冷的居民

基督降生在伯利恒，耶路撒冷的人竟然没有人关注此事。伯利恒距离耶路撒冷并不远，步行就可以轻松到达。弥赛亚的来临是整个国家期盼已久的事情，但是耶路撒冷全城的人竟然都错失机会。

耶路撒冷会因为什么错失圣诞？答案可能会让你感到大吃一惊：宗教。耶路撒冷的人都有些宗教情结。这里是以色列的宗教活动中心，圣殿在这里，大家都来在这里献祭。耶路撒冷的人们忙于宗教仪式，却和耶稣擦肩而过。

他们忙着用错误的方法敬拜上帝。他们抓住了信仰的外在表现，却废弃了信仰的真实意义。耶稣不能在他们的宗教系统获得一席之地，因为他们寻找、等待的弥赛亚是一个能征服世界的英雄，而不是卑微柔弱、降生在马槽的婴孩。他们盼望一位能够巩固宗教系统的人，但是耶稣反对他们引以为傲的一切。"登山宝训"证实了这一点。耶稣为耶路撒冷的人们提供了能从暴政、苛刻的要求和压迫下解放出来，从文士与法利赛人加给整个国家的律法主义中解放出来并获得真正自由的真理，但是大部分人的心思已经深深扎根在自己的宗教思维中，根本不愿意听。

这样的人最难接受救恩的好消息。他们一心要靠着好行为赢得救恩，凭着自己的力量成为义人，而对自己心灵中极为贫穷的状况视而不见。

宗教可以成为致命的陷阱，仪式和规条可以让人自以为敬虔。有些宗教思想就像不道德的行为一样，注定会让人下地狱。圣经告诉我们，撒旦也会装作光明的天使。他甚至会使用宗教使人错失圣诞的祝福。

圣诞老人来自哪里？

圣诞老人的原型是公元 4 世纪时吕基亚（Lycia）的一位主教，名叫尼古拉。现在的人们对他的了解很少。中世纪，崇拜圣徒之风盛行，有关尼古拉的故事才流传开来。有一个故事说，他曾慷慨解囊，给一个贫苦人的 3 个女儿 3 袋金子，让她们不至于为了挣嫁妆而流落风尘。另一个故事说，在大饥荒中，3 个小男孩儿死了并被制成腌肉，尼古拉使他们奇迹般地复活。因此，尼古拉就成了赠送礼物和关心小孩子的圣徒形象。人们甚至将 12 月 6 日定为圣尼古拉节。

尼古拉在荷兰尤其受欢迎。把尼古拉和圣诞节联系起来的习俗也是从荷兰开始的。荷兰的孩子们希望这位和善的老人在 12 月 5 日夜里来看望自己，就把自己的木鞋放在火炉旁，等待他在里面放满礼物。荷兰语圣尼古拉（Sinterklaas）的英语发音就是 Santa Claus（圣诞老人）。

当圣诞老人的传说成为美国文化的一部分之后，孩子们发现袜子比木鞋装的礼物更多，于是在 19 世纪中期，木鞋的风俗就被改变了。

圣诞老人的故事之所以广为流传，美国诗人克莱门特·摩尔（Clement Moore）可能也有一定功劳。他于 1822 年写下著名诗作《圣尼古拉的拜访》（A Visit from St. Nicholas），第一句就说："这是圣诞前夜。"这首诗歌出版后立刻受到人们欢迎，并且至今仍广为传唱。

罗马人

整个罗马帝国的人也可以得到圣诞的祝福，却都与圣诞失之交臂。

耶稣诞生在罗马帝国统治时期。希律就是罗马帝国任命的犹太地区最高长官。凯撒奥古斯都掌握一切生杀大权。

　　凯撒奥古斯都的名字在圣经中只出现过一次，但他在罗马帝国的历史中占有重要地位。他名叫屋大维，是裘力斯·凯撒的侄孙。"奥古斯都"是个头衔，意思是"尊敬的"。他统治罗马的时间为公元前 27 年到公元后 14 年。

　　总的说来，屋大维是个仁慈的统治者。他实现了罗马的和平，罗马帝国统治下的各个地区都出现繁荣昌盛的局面。他出台了许多改革政策，致力于消除腐败，保证整个帝国境内的和平。但是，屋大维给自己加了一个"大祭司"的名号，还在罗马帝国各省提倡遵皇帝为神明。

裘力斯·凯撒在遗旨中把所有财产和王位都留给侄孙，他被刺杀之后，屋大维逐渐掌权。屋大维在统治期间，命令整个帝国实施人口普查。这就是《路加福音》2章1节中颁布的法令。

　　耶稣降生在罗马帝国的全盛时期。在伯利恒及周边地区，罗马士兵一定随处可见，监督人口调查，登记注册，维持秩序。他们因为什么与圣诞祝福擦肩而过？是因为偶像崇拜。他们有各路神仙要拜——他们甚至把罗马皇帝当作神。于是罗马人错失了耶稣诞生的祝福，这个初生的婴孩仅仅成为人口调查中的一个新增数字。

　　在我们今天的世界，泛神论有着强烈的吸引力，许多人也因此与圣诞的真正祝福失之交臂。大部分人并不是像罗马

人那样，去拜雕刻的偶像或随从迷信的说法，而是用一种更加隐蔽的方法在敬拜假神。有些人拜金，有些人追求性快乐，有些人追逐汽车、游艇、房子、权力、威望、人气和名声，这些仿佛都成了他们的神。现代社会的偶像其实来自于自私和物质主义，如果你致力于追求这些东西，就会与圣诞祝福失之交臂。

拿撒勒人

　　拿撒勒人与圣诞祝福失之交臂是最可悲的。拿撒勒并不是文明的大都市，而是偏远的小城镇，离耶路撒冷很远。这个地区的人以暴力闻名。拿但业说出了当时人们的普遍看法："拿撒勒还能出什么好的吗？"

　　然而，拿撒勒是马利亚和约瑟的家，也是耶稣童年时的家。耶稣虽然生在伯利恒，却长在拿撒勒。然而，拿撒勒的人们完全忽略了他的存在。住在那里多年后，耶稣向拿撒勒人表明他弥赛亚的身份时，他们的反应竟然是要把耶稣推下悬崖！

拿撒勒人认识耶稣，看着耶稣长大，他们却想杀死他！正像圣经里写的："他到自己的地方来，自己的人倒不接待他"。这些拿撒勒人本应该比别人更了解他，却对他真实的身份一无所知。甚至耶稣自己也对他们的不信感到惊讶。

拿撒勒人因为什么错过耶稣的祝福呢？是因为熟悉。他们太了解他了，很难相信他是一个特别的人。熟悉加上不信就成了致命的问题。也许，最可怕的罪就是一个人听过无数的讲道和圣诞故事，却仍然拒绝相信耶稣。这真是悲哀，令人感到惋惜。

或许，你也曾忽视过圣诞节的真正含义。你可能收到过圣诞礼物，享用过圣诞大餐，亲手装扮过美丽的圣诞树，但在内心里，你也许和客栈老板、希律、宗教领袖、耶路撒冷的居民和拿撒勒人没有什么两样。

盼望你不要错过这一次圣诞节的祝福。

圣·诞·礼·物

下一次会大不一样！

耶稣第一次来的时候：

他是柔弱的婴儿，

有一颗星标志着他的到来，

博士给他送来礼物，

没有房间供他居住，

只有几个人陪伴他，

他以婴儿的样子降生。

耶稣第二次来的时候：

天空将被他的荣耀点亮，

他会奖励属他的人，

世界无法容纳他的荣耀，

每个人都会看到他，

他以万物主宰的样子降临。

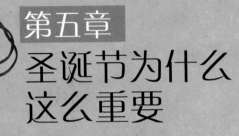

第五章
圣诞节为什么这么重要

Why Christmas
Is So Important

第一个圣诞节来临的时候，世上的人们对自己身边正在发生的这件奇事都没有在意。但在天上，却大不一样。圣天使们正盼望着、等待着，要在新生圣婴降生的那一刻欢呼赞美，扬声敬拜。这是因为，圣婴的诞生意味着人类将得到解救。天使告诉约瑟：“她必生一个儿子，你要给他起名叫耶稣，因为他要把自己的子民从罪恶中拯救出来”（《马太福音》1 章 21 节）。耶稣预先就知道，如果要完成这个使命，他自己就不得不去死。

圣诞节为什么这么重要？因为它不仅为了庆

祝耶稣的降世，也告诉我们耶稣究竟为什么而来。耶稣诞生这事件本身并不能给人类带来拯救。尽管耶稣在地上度过的一生白璧无瑕，然而，这样无罪的生活方式本身并没有救赎的能力。尽管他所示范的榜样完美无缺，但这仍不能把我们从罪恶中拯救出来。甚至耶稣的教导——尽管这教导是有史以来神所启示的最伟大的真理——也不能拯救我们。这是因为，偿还我们的罪是要付出代价的。这代价就是：有个人必须献出自己的生命，而只有耶稣才能做得到。

从《希伯来书》10章5-7节里，我们可以读出救赎主在诞生前的心意，这可真是非凡的发现！耶稣清楚，自己来到世间，是为了作最终赎罪的祭物。他的身体就是神为了这个目的专门预备的。耶稣早就知道，自己将要为世人的罪恶去赴死。尽管如此，他还是心甘情愿地做了这一切——这正是"道成肉身"的真正意义。

耶稣来到我们这个世界是为了让人类认识神。他来教导真理，成全律法；他将他的国度带给我们，向我们示范如何生活；他向我们彰显神的仁爱，带给我们和平；他医治病人，又服侍困苦人。

但是，和他降世为人的最终目标相比，以上这些目的都不算是主题。他不必降卑为人就能够实现这一切。他只需现一下身——就像主的天使在旧约里经常向人显现一样，就能完成上述所有的事情，而不一定非要真正地成为一个人。其实，他来到尘世是另有原因：为了受死。

这是圣诞节故事中不常被人翻开的一页。圣灵在马利亚腹中如此塑成那双柔软的小手，为的是铁钉可以穿透它们。那双粉嘟嘟的还不会走路的婴孩小脚，将来有一天要走向尘埃遍地的山冈，在那里被钉上十字架。闪烁顾盼的眼睛，天真渴望的小嘴，那幼儿的头颅生得这样甜美，为的是有一天人们可以拿荆棘编作冠冕给他强行戴上。那稚嫩的身体，温暖而柔和，被裹在襁褓里，为的却是有一天人们用枪把他刺破。

耶稣降生就是为了受死。

千万不要以为我在给你的圣诞气氛泼冷水，让你扫兴。完全不是这样，因为：耶稣的死，虽然是由心怀恶意的人一手策划和施行的，但这并不是一个悲剧。事实上，耶稣的死证明了：有史以来对抗邪恶的最伟大的战斗已经大功告成。我们这么说有几个理由，《希伯来书》2章9-18节总结得很详尽。

他成为我们的替代者

不过，我们看见那位暂时成了比天使卑微的耶
稣，因为受了死的痛苦，就得了荣耀尊贵作冠冕，好
叫他因着神的恩典，为万人尝了死味。(《希伯来书》
2章9节)

耶稣作为我们的替代者死去了。他本是创造天使的那一
位，却成为肉身，降低自己的地位，变得比天使更卑微。这
并不是说他变得不足为神，也不是说他放弃了自己神性的某
个方面。而是说，他"暂时"退到比天使更卑微的地步。那么，

他曾比天使更卑微，是指着什么说的呢？"因为受了死的痛苦，就得了荣耀尊贵作冠冕"——从来没有天使死去，死亡是留给凡人的，既然耶稣必须受死，所以他必须先要成为一个凡人。

这到底是为了什么？——"好叫他因着神的恩典，为万人尝了死味。"他作了我们的替代者。被钉上十字架的那一刻，他替你我而死，为一切将要信他的人死去了。

这就是我们所说的神的恩典。他之所以来到人间，不是因为我们恳求过他，不是因为我们配得他的帮助，而是因为：他是一位有恩典的神。他对我们的仁爱和良善完全是我们不配得的。基督选择为我们去死，完全是他自己决定的，因为他有这个主权，而且他的主权又美又善。

他设立了救赎的恩典

> 万有因他而有、借他而造的那位，为了要带领许
> 多儿子进入荣耀里去，使救他们的元首借着受苦而得
> 到成全，本是合适的。（《希伯来书》2 章 10 节）

耶稣受死是他拯救我们的必要条件。《希伯来书》2 章
10 节用"元首"这个词形容他。这个词在圣经原版本中的意
思是先驱、元首、开拓者，是指一个人开创了一个东西，好
让其他人去跟随、效仿。这个单词可以指一个城市的创始人，
或者一次勘探行动的领导者，但不可以用来指站在后面发号

施令的人，也不是指沿着别人铺好的路承袭下去的人。

是耶稣基督设立了救恩，他是第一位，也是唯一的一位。离开他就没有通向神的道路。耶稣说："我就是道路、真理、生命，如果不是藉着我，没有人能到父那里去。"（《约翰福音》14 章 6 节）。圣经说得很清楚，天上地下只有一条路通向神，耶稣打开的就是这条路："除了他以外，别无拯救，因为在天下人间，没有赐下别的名，我们可以靠着得救。"（《使徒行传》4 章 12 节）。

他使他的人民成为圣洁

因为那位使人成圣的，和那些得到成圣的，同是出于一个源头；所以他称他们为弟兄也不以为耻。他说："我要向我的弟兄宣扬你的名，我要在聚会中歌颂你。"又说："我要信靠他。"又说："看哪，我和神所赐给我的孩子们。"（《希伯来书》2章11-13节）

"使人成圣"（sanctify）这个单词的意思是：把某些人从大众中分别出来，使他们变得圣洁。这段经文是说，耶稣基督是圣洁的，他也有能力让我们变得圣洁。

长期以来神学上最大的难题，正是靠着十字架得到了解决。这个难题就是：圣洁的神究竟如何能把他的仁慈和恩典传递给罪人？罪的代价本是死，而神的仁爱和慈悲永不止息。他爱罪人，可是，如果他只是一味地包容我们，而无视我们身上的罪，那么他自己的圣洁就会被玷污。基督主动承担了我们自己本该受的惩罚，解决了这个难题。他在十字架上受死，既成全了神的怜悯心肠，又满足了神对公义的要求。

他到底偿还了我们多少的罪债？是全部的！无论我们过去犯过的罪，还是将来要犯的罪，他都偿清了。只有这样，神才能看我们仿佛是无罪之人，凭他的公义和我们来往。他已经宣告了我们的圣洁，使我们成为他眼中的圣洁之人，成为他眼中没有罪、没有瑕疵的新人（《以弗所书》1 章 4 节，5 章 27 节；《歌罗西书》1 章 22 节）。

尽管我们实际上还不是无罪的，但基督会帮助我们变得圣洁，其中一方面就是改变我们心中的渴望和外在的行动（《哥林多后书》5章17节；《加拉太书》5章24节；《提多书》2章12节）。他正在按照自己的形象塑造我们，以至让我们的行为也逐渐圣洁（《罗马书》8章29节；《哥林多后书》3章18节；《以弗所书》4章24节）。他正在改变我们，让我们越来越像他自己。

基督那使我们得以成圣的圣洁，是无法被玷污的。"因为他献上了一次的祭，就使那些成圣的人永远得到完全"（《希伯来书》10章14节）。耶稣基督的圣洁归算给了我们，一旦我们接受了这圣洁，天地间再没有什么能把它从我们身上夺去。基督已经缴清了一切罪的代价，罪再也不能成为我们身上的把柄（《罗马书》8章33节）。再没有谁——包括那告状者魔鬼撒旦——能利用我们的旧账来攻击我们。

他降服了撒旦

孩子们既然同有血肉之体，他自己也照样成为血肉之体，为要借着死，消灭那掌握死权的魔鬼，并且要释放那些因为怕死而终身作奴仆的人。(《希伯来书》2章14-15节)

耶稣之所以道成肉身，一个主要原因就是：这样做，他就能对魔鬼撒旦施以致命的一击。你是否意识到这一点？旧约时代，关于耶稣的第一个预言就是说，他要伤蛇的头（《创世记》3 章 15 节）。新约的此处，就宣告那个古老预言已经得到了应验。

　　撒旦的强权就是死亡。这罪的工价是在他的掌控范围之内。如果他能成功地令一个人从出生到死亡都在罪恶中生活，他就永远地把那个人攥在了手里。必须得有人来征服死亡，来毁灭撒旦的这个武器，这正是耶稣所做的事。他从坟墓里走出来，威震四方，彻底击碎了死亡的枷锁，他宣告："因为我活着，你们也要活着。"（《约翰福音》14 章 19 节）所以我们说："死亡啊！你的胜利在哪里？死亡啊！你的毒刺在哪里？"（《哥林多前书》15 章 55 节）

他成为我们完美的大祭司

　　　所以，他必须在各方面和他的弟兄们相同，为了
要在神的事上，成为仁慈忠信的大祭司，好为人民赎
罪。因为他自己既然经过试探，受了苦，就能够帮助
那些被试探的人。（《希伯来书》2章17-18节）

　　这是圣经中最值得注意的段落之一。这段话究竟意味着
什么？难道他在道成肉身的这段经历中，学到了从前他所不
了解的事情吗？不是这样的。从来没有什么事是他不了解的，
这不是说他"需要"通过学习从而获得某些知识或经历。

　　这里表达的意思是，要成为一个满心怜悯的大祭司，基
督耶稣必须先成为人。古代以色列的大祭司必须深切理解神
的心意，同时也要深切理解人的心意。所以，那完美的大祭

司应该同时是神也是人。耶稣基督正是这样的一位——神和人之间完美的调解者。

要知道，我们的这位大祭司并不是"高高在上"而不能同情我们人类的软弱，恰恰相反，他曾像我们一样，在各方面受过试探，只是他从来没有犯罪（《希伯来书》4章15节）。他挨过饿，受过渴；他曾疲劳困乏，也需要睡觉；他同样从幼年长大成人；他爱过；他受过惊吓，也感叹过；他有过欢喜，也有过悲伤；他愤怒过，也曾经历困惑。他阅读圣经，整夜祈祷，也曾大声哀哭。作为我们中的一员，他在任何方面都能与我们认同——他是如此完美的同情者。

而且，他是神。

他真是完美的大祭司。

神对人类的罪恶发怒是理所应当的。然而，他如此爱我们，以至于派遣他自己的儿子来到世上生活，并死在十字架上。耶稣用他自己的身躯来背负我们的罪恶，他经历苦难，承受了神全部的愤怒，那本是我们自己应该承担的惩罚。他为我们的罪受了刑罚、偿了代价，这才恢复了我们与神之间的和平。任何其他的方式都是无法实现这一切的。